彩图注音

Children's
小学语文新课标阅读丛书 珍藏版

Hundred Thousand **WHYS** 十万个

为什么

风车文化 编

让孩子从问题中探寻世界
用科学激发孩子求知欲望

动物世界

SPM
南方出版传媒
新世纪出版社
·广州·

让每个孩子
轻松愉快地获得知识

孩子一天天长大，他们的好奇心也一天天"膨胀"起来。有时，他们像生物学家，关心企鹅和北极熊、牡丹和蒲公英；有时，他们像天文学家，关心太阳的东升西落、月亮的阴晴圆缺；有时，他们像地理学家，关心地震和火山、沙漠和温泉；有时他们又像科学家，关心电脑和机器人、冰箱和太阳能……

于是，这个世界就仿佛变成了一个个问号：这是什么？那是什么？为什么会这样？为什么会那样？……带着这些没完没了的"为什么"，孩子就像一株株正在破土而出的小苗，若是能得到家长和老师正确的解答，就会如同吸收了阳光雨露一般，快速成长。

怎样才能方便又贴心地满足每个孩子无穷无尽的好奇心和求知欲呢？这套制作精美的《十万个为什么》就是不错的选择。本套丛书分别以动物、植物、宇宙、科技、生活等为主题进行编排，内容丰

富、涉及面广，可以最大限度地满足孩子们对知识的需求。丛书针对每个问题，都用精确、生动的语言给出了科学、权威的回答。此外，文中设置的"你问我答""大开眼界""不可思议""知识放送"等板块，也能进一步拓展孩子的知识面，开发他们的创造力和想象力。

社会在发展，时代在进步，知识也在更新，科普书籍更要与时俱进。本套丛书所包含的条目都经过了编者的精心挑选和甄别，那些陈旧的、落后的内容都被一一剔除；那些当下流行的事物、前沿的科技、最新的生活方式等，都被我们及时收录进来，从而保证孩子们与社会同发展，不会落伍于时代。

希望这套书能为孩子们解答一个个疑惑，成为他们通往科学殿堂的铺路石。

目录 CONTENTS

动物世界

它们与我们一起，亿万年来共同生活在这个美好的星球上；它们与我们一道，曾共同见证过地球历史的沧海桑田。因为有了它们，人类才不会孤独。让我们一起走进奇妙的动物世界，与动物成为永远的朋友。

wèi shén me kǒng lóng huì miè jué
为什么恐龙会灭绝

恐龙最早出现于距今约 2 亿 2500 万年前的三叠纪晚期，体型庞大的它们是当时地球的主宰，支配全球陆地生态系统超过 1 亿 6000 万年之久。但到了 6500 万年前（白垩纪晚期），恐龙却突然灭绝了。对于恐龙灭绝的原

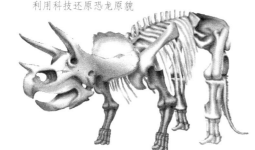

人们能根据挖掘出来的恐龙化石，利用科技还原恐龙原貌

暴龙,别称霸王龙,是最凶猛的恐龙之一。它锋利的牙齿能把猎物撕成牙签般大小

yīn mù qián réng méi yǒu dìng
因,目前仍没有定

lùn bù guò rén men pǔ biàn
论,不过人们普遍

rèn tóng liǎng zhǒng shuō fǎ yī
认同两种说法:一

shì dāng shí dì qiú kě néng yǔ qí tā
是当时地球可能与其他

xīng qiú xiāng pèng zhuàng fā shēng bào zhà shǐ dà qì céng chōng mǎn huī chén
星球相碰撞发生爆炸,使大气层充满灰尘,

zhē zhù le yáng guāng dǎo zhì wēn dù jí jù xià jiàng zhì shǐ kǒng lóng miè
遮住了阳光,导致温度急剧下降,致使恐龙灭

wáng lìng yī zhǒng shuō fǎ shì dì qiú shang fā shēng le dà guī mó de huǒ
亡;另一种说法是地球上发生了大规模的火

shān pēn fā huǒ shān huī shēng dào dà qì
山喷发,火山灰升到大气

céng zhōng chǎn shēng yǔ xīng qiú zhuàng jī
层中,产生与星球撞击

dì qiú yī yàng de hòu guǒ cóng ér dǎo
地球一样的后果,从而导

zhì kǒng lóng miè jué
致恐龙灭绝。

你问我答

下面哪种恐龙的身体最长?
A.暴龙
B.腕龙
C.梁龙

知识放送

很多人以为翼龙就是会飞的恐龙。其实,翼龙并不是恐龙,它是生存在恐龙时代的一种会飞的爬行动物。当时恐龙控制着整个陆地,翼龙则控制着整个天空,成为空中霸主。翼龙的个体大小和形态差异都非常大,大的两翼展开约有16米,小的只有麻雀大小。

cháng jǐng lù de bó zi cháng
长颈鹿的脖子长，
shì yīn wèi lǐ miàn gǔ tou duō ma
是因为里面骨头多吗

成年长颈鹿的身高为4～6米，
长颈鹿宝宝刚生下来就约有2米高

cháng jǐng lù bó zi li de gǔ tou shù
长颈鹿脖子里的骨头数

liàng hé rén lèi de yī yàng dōu zhǐ yǒu kuài
量和人类的一样，都只有7块，

zhǐ shì tā měi jié gǔ tou dōu hěn cháng
只是它每节骨头都很长。

bù guò cháng jǐng lù zǔ xiān de bó
不过，长颈鹿祖先的脖

zi bìng bù cháng kào chī dì shang de nèn cǎo
子并不长，靠吃地上的嫩草

wéi shēng hòu lái dì qiú qì hòu fā shēng
为生。后来地球气候发生

biàn huà cǎo běn zhí wù jiǎn shǎo cháng jǐng
变化，草本植物减少，长颈

　　长颈鹿有声带，能够发出叫声，但是它们很少这样做。这是因为它们的声带很特殊，不容易发声。此外，发声时需要靠肺部、胸腔和膈肌的共同帮助，而长颈鹿的脖子实在太长了，声带和这些器官之间的距离很远，叫起来非常费力，所以长颈鹿几乎不发出声音。不过有时年幼的长颈鹿找不到妈妈了，会发出像小牛一样的"哞哞哞"叫声。

lù wèi le chī dào shù shang de nèn yè nèn
鹿为了吃到树上的嫩叶嫩

zhī zhǐ néng nǔ lì de shēn cháng bó zi
枝，只能努力地伸长脖子。

nà xiē bó zi duǎn de cháng jǐng lù yīn wèi
那些脖子短的长颈鹿因为

chī bù dào shù shang de yè zi xiāng jì è
吃不到树上的叶子相继饿

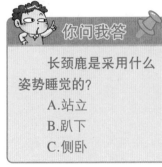

你问我答

长颈鹿是采用什么
姿势睡觉的？
A.站立
B.趴下
C.侧卧

sǐ ér bó zi cháng de cháng jǐng lù zé píng
死，而脖子长的长颈鹿则凭

jiè shēn gāo yōu shì huó le xià lái jīng guò
借身高优势活了下来。经过

màn cháng de wù zhǒng jìn huà xiàn zài de cháng
漫长的物种进化，现在的长

jǐng lù biàn yǒu le cháng cháng de bó zi
颈鹿便有了长长的脖子。

长颈鹿喝水时必须叉开
腿，使劲压低身体，十分吃力

5

河马的鼻子、眼睛和耳朵 为什么都长在头顶上

hé mǎ de bí zi、yǎn jing hé ěr duo
wèi shén me dōu zhǎng zài tóu dǐng shang

河马看起来笨重，但攻击性非常强，能把成年鳄鱼一口咬成两截

hé mǎ yī bān shēng huó zài fēi zhōu
河马一般生活在非洲

hé liú、hú pō、zhǎo zé fù jìn shuǐ cǎo
河流、湖泊、沼泽附近水草

fán mào hé yǒu lú wěi de dì fang tā
繁茂和有芦苇的地方。它

de tóu hěn dà tuǐ hěn duǎn shēn cháng
的头很大，腿很短，身长

yuē mǐ píng jūn tǐ zhòng dūn
约4米，平均体重1.5吨。

rú guǒ cháng shí jiān zài lù dì shang xíng
如果长时间在陆地上行

6

你问我答

河马张开大嘴打哈
欠,是表示什么?
　A.困了,想睡觉
　B.发出警告
　C.呼唤同伴

走,四肢难以支撑巨大的身躯,沉重的头颅也带来很大的不便,于是河马大部分时间都泡在水中,利用水的浮力支撑身体。河马的鼻子、眼睛和耳朵长在头顶上,平时它只要把头顶露出水面,耳朵、眼睛和鼻子就刚好在水面上,

这样既能隐蔽

自己,又能呼

吸新鲜空气,

真是一举多得!

河马非常怕热,只有在太阳落山后才会从水中出来,到岸上觅食

不可思议

　　雄河马要想和雌河马交配,就要先跟其他雄河马比谁的嘴巴大,以显示自己的强大。如果这还决定不了胜负,它们就用武力一决高下。打斗的时候,它们会用60厘米长的尖利犬齿撕咬对方,所以一场决斗下来,双方都伤痕累累,有的河马甚至会因此死亡。

为什么大象用鼻子吸水时不会被呛到

大象常用长鼻子吸水,除了喝水解渴,它们还会把水喷到自己的背上"淋浴"。不过大象用鼻子吸水,却不会被呛到。

大象的鼻腔结构很特殊,气管和食道相通,在鼻腔连接食道的上方,有一块会自动开关的软

象牙能加工成工艺品、首饰或珠宝,许多不法分子为了夺取象牙而猎杀野生大象

大象遇到久违的朋友时,会用身体相互摩擦表示亲热。如果关系非同一般,它们会把鼻子伸进对方的嘴里,这被人们称为"大象式接吻"。如果有两头大象的鼻子缠绕在一起,则表明它们在谈情说爱,正享受甜蜜时光。

gǔ。dāng dà xiàng yòng bí zi xī shuǐ shí
骨。当大象用鼻子吸水时，

ruǎn gǔ huì zì dòng gài zhù qì guǎn bèi xī
软骨会自动盖住气管，被吸

rù de shuǐ zhǐ néng jìn rù shí dào dāng dà
入的水只能进入食道；当大

xiàng jiāng xī jìn de shuǐ pēn chū huò tūn yàn
象将吸进的水喷出或吞咽

你问我答

陆地上最大的动物
是什么？
A.犀牛
B.亚洲象
C.非洲象

hòu ruǎn gǔ yòu huì zì dòng cóng qì guǎn shang yí
后，软骨又会自动从气管上移

kāi yǐ biàn dà xiàng hū xī dà xiàng de zhè
开，以便大象呼吸。大象的这

zhǒng dòng zuò fēi cháng jīng zhǔn suǒ yǐ xī
种 动作非常精准，所以吸

shuǐ shí shì bù huì bèi qiāng dào de
水时是不会被呛到的。

被驯养的大象可
供骑乘、马戏团表演

9

bān mǎ de tiáo wén
斑马的条纹
yǒu shén me zuò yòng
有什么作用

bān mǎ shēng huó zài kāi kuò de píng
斑马生活在开阔的平
yuán hé shù mù xī shǎo de cǎo yuán dì dài
原和树木稀少的草原地带。
tā men shēn shang de tiáo wén bù jǐn hǎo
它们身上的条纹不仅好
kàn hái néng qǐ dào yǐn bì zuò yòng
看，还能起到隐蔽作用。

黑白相间的条纹，是斑
马最好的保护色

bān mǎ shēn shang de zhè xiē tiáo wén hēi bái xiāng jiàn zài yáng guāng huò
斑马身上的这些条纹黑白相间，在阳光或
yuè guāng de zhào shè xià xī shōu hé fǎn shè de guāng xiàn gè bù xiāng tóng
月光的照射下，吸收和反射的光线各不相同，

10

cóng ér shǐ bān mǎ de lún kuò
从而使斑马的轮廓
biàn de mó hu　yuǎn yuǎn wàng
变得模糊，远远望
qù　hěn nán jiāng tā men yǔ zhōu
去，很难将它们与周
wéi de huán jìng qū fēn kāi lái
围的环境区分开来。
zhè yàng　bān mǎ jiù néng bì miǎn
这样，斑马就能避免
bèi měng shòugōng jī　bǎo hù zì jǐ
被猛兽攻击，保护自己。

有科学家认为，斑马很可能是
长着白条纹的黑马

hái yǒu yán jiū fā xiàn　bān mǎ shēn shang de tiáo wén kě yǐ fēn sàn cǎo yuán
还有研究发现，斑马身上的条纹可以分散草原
shang yī zhǒng jiào cì cì yíng de kūn chóng de zhù yì lì　fáng zhǐ bèi tā men
上一种叫刺刺蝇的昆虫的注意力，防止被它们
dīng yǎo
叮咬。

你问我答

斑马是哪个地区特
有的动物？
A.亚洲
B.南美洲
C.非洲

yǒu qù de shì　rèn hé liǎng pǐ bān
有趣的是，任何两匹斑
mǎ shēn shang de tiáo wén dōu shì bù xiāng tóng
马身上的条纹都是不相同
de　jiù xiàng rén lèi de zhǐ wén yī yàng
的，就像人类的指纹一样。

 大开眼界

　　斑马的奔跑速度很快，可人们却不骑斑马。原来，斑马的脾气
暴躁，一咬住人就不松口。而且斑马还有一种"绝招"，在看到套
马索飞来时总能低头躲开。因此，斑马很难驯化为骑乘的马。

为什么称狮子
为"百兽之王"

狮子是大型食肉动物。它们站起来的时候，身高可以达到1.2米。雄狮的体重能达到300千克以上。狮子是群居动物，它们的捕食对象几乎包括所有的动物，是猫科动物中进化程度最高的。

在狮群中，雌狮主要承担打猎的任务。但它打到猎物后，会等雄狮吃完后再吃

知识放送

狮子分布于非洲的大部分地区和亚洲的印度等地。白天，狮子喜欢成群地在灌木丛中睡大觉，一头雄狮每天约有20个小时都在休息。有人认为它懒惰，其实雄狮这是在养精蓄锐，以便更好地完成保护狮群的重任。

bù jǐn rú cǐ　　shī zi sì zhī
不仅如此，狮子四肢

qiáng zhuàng yǒu　lì　　tǐ cháng shēn jiàn　quǎn
强 壮 有力，体长 身健，犬

yá fēng lì　　tā men de zhǎng xiàng wēi wǔ
牙锋利；它们的长 相威武，

tóu kuān dà　　hún yuán　　zuǐ kuān　　yǎn jing
头宽大、浑圆，嘴宽，眼睛

jiǒng jiǒng yǒu shén bìng shǎn shuò zhe　xī　lì　ér wēi wǔ de guāng máng　　tè　bié　shì
炯炯有神并闪烁着犀利而威武的光 芒；特别是

xióng shī　　qí jǐng bù hái zhǎng zhe　jīn huáng sè huò
雄狮，其颈部还长着金黄色或

zōng sè de liè máo　xiǎn de wēi fēng lǐn lǐn
棕色的鬣毛，显得威风凛凛。

yú　shì　　rén men jiù bǎ shī zi chēng wéi　　bǎi
于是，人们就把狮子称为"百

shòu zhī wáng
兽之王"。

雄狮有浓密的鬣毛，看起
来威风八面，其实它的动作比
雌狮缓慢，打猎能力不及雌狮

为什么大熊猫
被誉为我国的"国宝"

大熊猫身体胖软，四肢粗壮，体长约1.5米，体重为80~180千克，外形非常招人喜爱。早在200多万年前，大熊猫就已经在地球上生活。但是地球有一段时间气温变得很冷，植物不能

生长，与大熊猫同时期的哺乳动物基本冻死饿死，而大熊猫依然存活了下来。因此，它成了世界上稀有的动物活化石。而且野生大熊猫数量很少，目前只出现在中国，因此更显珍贵。

初生的大熊猫只有稀疏的白毛，两周左右才开始长出黑眼圈和黑耳朵等黑毛

小熊猫和大熊猫是什么关系？

A.小熊猫是大熊猫的宝宝

B.它们是两种不同的动物

大熊猫经常作为"友好大使"被赠予其他国家和地区，促进了我国与其他国家和地区的友好关系，因此被称为我国的"国宝"。

成年大熊猫的体型比较庞大，可是它产下的幼崽重量只有150克左右，仅相当于自己体重的1/1000。这在动物世界中是十分罕见的，也是大熊猫幼崽成活率较低的原因之一。另外，科学的迅速发展，使人类可以人工克隆出多种动物，但是直到现在，研究人员仍然无法克隆出大熊猫。

wèi shén me xuě bào hěn nán bèi fā xiàn

为什么雪豹很难被发现

雪豹为高山动物，是食肉动物栖息地海拔高度最高的一种

xuě bào quán shēn de máo sè
雪豹全身的毛色

huī bái, tōng tǐ bù mǎn hēi sè de
灰白，通体布满黑色的

bān diǎn tóu xiǎo ér yuán wěi ba
斑点，头小而圆，尾巴

cū cháng tā yuán chǎn yú yà zhōu
粗长。它原产于亚洲

zhōng bù shān qū shì yī zhǒng bīn wēi
中部山区，是一种濒危

de māo kē dòng wù shù liàng jí shǎo yīn
的猫科动物，数量极少，因

qí zhōng nián zài xuě dì fù jìn shēng huó hé pí máo xuě bái ér dé míng xuě
其终年在雪地附近生活和皮毛雪白而得名。雪

bào sù yǒu xuě shān zhī wáng zhī chēng zhōng guó de tiān shān děng gāo hǎi bá
豹素有"雪山之王"之称，中国的天山等高海拔

shān dì shì xuě bào de zhǔ yào fēn bù qū
山地是雪豹的主要分布区。

大开眼界

　　雪豹从名字上看，似乎和其他豹类是一家，但实际上可能与虎的血缘更为接近。雪豹是登山能手，三四米高的山岩也能一跃而过。雪豹粗大的尾巴是它掌握方向的"舵"，在跃起时还能在空中转弯。不仅如此，它还是爬树、游泳健将，能捕捉各种高山动物，但很少攻击人类。

你问我答

雪豹一般在什么时候出来活动？

A.晚上

B.白天

由于非法捕猎等人为因素，雪豹的数量日益减少，甚至比大熊猫的数量还要少。再加上雪豹敏感、机警、喜欢独行、夜间活动、远离人迹和生活在高海拔地区等特性，人们很难发现它的踪迹。此外，雪豹体色和周围环境非常协调，能形成良好的隐蔽效果，这更增加了人们发现它的难度。

17

为什么狗的嗅觉特别灵敏

狗的鼻子结构比其他动物的要复杂得多。它除了鼻腔有嗅觉功能外，其鼻尖外表面长有无数小小的突起，外面还覆盖着一层黏膜组织，叫作嗅黏膜。嗅黏膜上布满了大约2亿个掌管嗅觉的细胞。依靠这些细胞，狗能分辨出约200万种物质和不同

夏天，狗通过伸出舌头来散热

你问我答

狗见到陌生人，为什么会汪汪大叫？

A. 提醒主人，有人来了

B. 自我保护，表示这里是它的地盘

nóng dù de qì wèi bù jǐn rú cǐ gǒu
浓度的气味。不仅如此，狗

hái jù bèi tè shū de fēn xī néng lì
还具备特殊的"分析能力"，

néng zài duō zhǒng bù tóng qì wèi zhōng xiù chū
能在多种不同气味中嗅出

tè dìng de wèi dào qí líng mǐn dù shì rén
特定的味道，其灵敏度是人

lèi de wàn bèi
类的100万倍。

duì gǒu lái shuō líng mǐn de xiù jué shí zài tài zhòng yào le zhèng yīn
对狗来说，灵敏的嗅觉实在太重要了，正因

wèi rú cǐ tā tè bié ài hù bí
为如此，它特别爱护鼻

zi lián shuì jiào shí yě bù huì wàng
子，连睡觉时也不会忘

jì bǎ bí zi cáng zài tuǐ jiān bǎo hù hǎo
记把鼻子藏在腿间保护好，

yǐ fáng shòu dào yì wài de shāng hài
以防受到意外的伤害。

狗的祖先是狼，经过人类长期驯化后成为家畜

知识放送

狗总是在不停地流鼻水，很多人认为这是它生病的缘故。其实，流鼻水是狗保护鼻子的一种手段。因为狗的鼻尖上有许多嗅觉细胞，鼻子湿润才能使它保持嗅觉能力，闻出气味来。如果狗生病了，鼻子就会变得干干的。这时，你就得带它去看宠物医生了。

为什么兔子的眼睛
wèi shén me tù zi de yǎn jing

有不同的颜色
yǒu bù tóng de yán sè

野兔住的地方附近一定会有草,而且离都有几个出口,以防不测

兔子的眼睛有各种不同的颜色,这跟它们的身体里含有不同的色素有关。

一般来说,兔子眼睛的颜色和它们的皮毛颜色是一致的。比如,体内含有灰色素的兔子,毛和眼睛是灰色的;体内含黑色素的兔子,毛和眼睛就是

兔子的祖先生活在草原上,存在很多危险,像老鹰、狼、狐狸等,都是兔子的天敌。为了躲避敌人的追捕,尽早发现敌人的踪影,兔子进化出灵敏的听觉。它的一双大耳朵长在头顶上,能灵活转动,便于收集信息,使它能听到远处敌人的动静,然后跑到安全的地方躲起来。奔跑的时候,耳朵还能帮助兔子保持身体平衡。

你问我答

兔子为什么不吃掉
自己窝边的草？
　A.窝边草不好吃
　B.要用窝边草遮挡
洞口，不能吃

hēi sè de　　　bái tù shǔ yú shēn tǐ li
黑色的。白兔属于身体里

bù hán rèn hé sè sù de pǐn zhǒng　　suǒ
不含任何色素的品种，所

yǐ tā de pí máo shì bái sè de　　yǎn
以它的皮毛是白色的，眼

qiú yě bù hán sè
球也不含色

sù　　shì tòu míng de　　dàn shì tā de yǎn jing li
素，是透明的。但是它的眼睛里

yǒu hěn duō xì xiǎo de máo xì xuè guǎn　　xuè guǎn li
有很多细小的毛细血管，血管里

liú dòng de xuè yè yìng dào yǎn qiú shang　　yǎn jing kàn
流动的血液映到眼球上，眼睛看

qǐ lái jiù shì hóng hóng de　le
起来就是红红的了。

安哥拉兔是著名的观赏兔，
它的长毛是一种高级纺织原料

21

wèi shén me shuō　yī shān bù róng èr hǔ
为什么说"一山不容二虎"

在自然界中，
老虎基本没有天敌，
它最大的敌人是人类

chéng nián lǎo hǔ dà dōu xǐ huan dān dú shēng
成年老虎大都喜欢单独生

huó　shì chū le míng de　shān bà wáng　tōng cháng
活，是出了名的"山霸王"。通常

měi zhī xióng hǔ dōu yǒu zì jǐ de yī kuài lǐng
每只雄虎都有自己的一块领

dì　jué bù yǔn xǔ bié de xióng hǔ qīn fàn
地，绝不允许别的雄虎侵犯，

zhēn kě wèi shì　yī shān bù róng èr hǔ
真可谓是"一山不容二虎"。

zào chéng zhè zhǒng qíng kuàng de yuán yīn zhǔ
造成这种情况的原因主

yào yǒu liǎng gè　yī shì zài cóng lín li　dān
要有两个：一是在丛林里，单

dú de yī zhī lǎo hǔ tōu tōu de xíng dòng
独的一只老虎偷偷地行动

bìng tū rán xí jī liè wù bǐ yī qún lǎo
并突然袭击猎物,比一群老

hǔ bǔ zhuō liè wù yào lái de róng yì
虎捕捉猎物要来得容易。

èr shì yīn wèi lǎo hǔ de shí liàng bǐ jiào
二是因为老虎的食量比较

dà zhǐ yǒu bǎo zhèng yī kuài bǐ jiào dà de bǔ shí lǐng dì tā cái néng dé
大,只有保证一块比较大的捕食领地,它才能得

dào chōng zú de shí wù suǒ
到充足的食物。所

yǐ lǎo hǔ měi dào yī chù jiù
以,老虎每到一处就

huì yòng zhuǎ yìn niào yè hé fèn
会用爪印、尿液和粪

biàn lái zuò jì hao huà dìng zì
便来做记号,划定自

jǐ de lǐng dì fàn wéi
己的领地范围。

白老虎是孟加拉虎的白色
变异品种,它的眼睛是蓝色的

雌老虎一胎可生 2~6 只小虎。由于雌老虎生育前已经把雄老虎赶走,它很难独自养活多只小虎,因此只要一胎超过 4 只小虎,它就会忍痛把较体弱的小虎吃掉,以便集中精力把体格好的小虎抚养大。等小虎长大一点,雌老虎就会教它们潜伏、追击、扑咬等生存技能,然后让它们独立生活,自食其力。

为什么牛和羊不吃草时嘴巴也在咀嚼

羊是人类最早饲养的家畜之一

牛和羊在吃草时，进食速度非常快。但是吃完后，在休息时它们还会不停地咀嚼。原来，牛和羊体内有四个胃，它们吃草时不嚼碎就吞了下去。草进了第一个胃里先被浸软，然后到第二个胃里被加工成小

大开眼界

如果拿一本书在山羊面前晃几下，它很可能就会走过来把书吃掉。这不是因为它肚子太饿了什么都吃，而是因为纸是由树木做的，山羊闻到纸张散发出来的树木味道后，以为这东西也能吃，就把纸吃下去了。山羊有很强的消化能力，它能吃牛马吃剩的食物，也能消化掉纸张。但写过字的纸张上有油墨等物质，山羊吃多了会闹肚子。

tuán chéng tuán de cǎo zài fǎn huí dào zuǐ
团，成团的草再返回到嘴
li xì xì jǔ jué zuì hòu cái jìn rù dì
里细细咀嚼，最后才进入第
sān dì sì gè wèi zhōng chōng fèn xiāo huà
三、第四个胃中充分消化。

xiàng niú yáng děng shí cǎo dòng wù de
　　像牛羊等食草动物的
zhè zhǒng xiāo huà shí wù de fāng shì jiào fǎn
这种消化食物的方式叫反
chú fǎn chú shì yī zhǒng duì zì rán huán
刍。反刍是一种对自然环
jìng de shì yìng yǒu zhù yú tā men zài kuàng yě
境的适应，有助于它们在旷野
li kuài sù tūn shí rán hòu duǒ dào ān quán de
里快速吞食，然后躲到安全的
dì fang màn màn jǔ jué xiāo huà
地方慢慢咀嚼消化。

 你问我答

　　牛只吃草，为什么
力气这么大？

　　A.能充分吸收草的
营养

　　B. 吃很多草，因此
能获得足够的力气

黑白花奶牛是我国特有的
乳牛品种，养殖已遍布全国

为什么猪喜欢拱土

猪一点都不笨,它经过训练,能学会狗所能做的所有事情,而且比狗学得快

猪喜欢拱土,是从野生时代遗传下来的习惯。

家猪的祖先是野猪。野猪需要自己寻觅食物,可是它们的前肢并不发达,为了吃到生长在地下的植物块根和块茎,只好用鼻子

去帮忙拱土。久而久
之，野猪就在生理形态
上形成了突出的鼻、嘴
和坚硬的鼻骨。野猪除

猪的大脑里有一种物质，具有麻醉作用，而且它本身怕热，不爱动，所以喜欢睡大觉

了用它特殊的鼻、嘴去拱出泥土里的食物，还会

从泥土里获得一些身体需要的矿物质，如磷、

你问我答

下面哪种物品是根据猪嘴发明的？

A.防毒面具

B.口罩

C.头盔

钙、铁、铜等。时间一长，

野猪就养成了喜欢拱土的

习惯。人们把野猪驯化成

家猪，家猪仍然改不了这个

老习惯。

　　在青藏高原上有一种猪，因常年奔波在旷野上，精肉丰富，肉质奇香，故被称为香猪。香猪能抗高原冬日的严寒与强烈的紫外线的照射，在约零下30℃的冰天雪地里，照样可以吃喝酣睡；也能在高原夏季烈日下泰然自若。它还是捕鼠高手，用又长又直的尖嘴轻轻一拱，就能将鼠从土层中翻出来捉住吃掉。

为什么猴子吃东西特别快

猴子吃东西的时候看起来是狼吞虎咽,其实它只是把食物塞进嘴里,并没有真正吃进胃里面去。

猴子口腔的两侧各有一个鼓鼓的颊囊,俗称"嗉袋",就像是两个储藏东西的袋子。

猴子大多为杂食性,以植物为主,喜欢吃各种水果

在野外,猴子之间的生存竞争非常激烈,它们总是把抢来的食物先塞进嘴

世界上最小的猴子是狨猴,它们生活在亚马孙河流域的森林中。由于它们只有成年人的手指一般高,因此又称拇指猴。在狨猴家族里,雄狨猴是典型的"贤夫良父",担任照料孩子的全部工作,不仅要为宝宝们清洗身体,还要亲自喂它们吃东西。雌狨猴在生下子女后,只在喂奶时抱上它们一小会儿。

28

ba　zàn shí fàng zài　jiá náng li　　bìng bù
巴，暂时放在颊囊里，并不

jí zhe chī xià qù　　zhè yàng jiù néng fáng zhǐ
急着吃下去，这样就能防止

shí wù bèi bié de hóu zi duó zǒu　děng dào
食物被别的猴子夺走。等到

dù zi è le huò zhě yǒu kòng de shí hou
肚子饿了或者有空的时候，

hóu zi jiù huì
猴子就会

zhǎo yī gè ān quán de dì fang　bǎ shí wù
找一个安全的地方，把食物

cóng jiá náng li tǔ chū lái　zài xì jiáo màn
从颊囊里吐出来，再细嚼慢

yàn de chī xià qù
咽地吃下去。

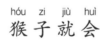

你问我答

猴子的屁股为什么
是红红的？

A. 猴子祖先被火烫
伤过，疤痕遗传了下来

B.屁股上没有毛，红
色是血管的颜色

猴子为了补充盐分，常在同伴身
上找盐粒吃，看起来就像在捉虱子

为什么北极熊
wèi shén me běi jí xióng

在捕猎时要捂住鼻子
zài bǔ liè shí yào wǔ zhù bí zi

běi jí xióng bǔ liè shí wǔ zhù bí zi shì wèi le ràng zì jǐ gèng
北极熊捕猎时捂住鼻子，是为了让自己更

hǎo de yǐn cáng qǐ lái biàn yú jiē jìn liè wù
好地隐藏起来，便于接近猎物。

北极熊看起来有点笨拙，
但它是游泳健将

běi jí shì yī gè bái sè de
北极是一个白色的

bīng xuě shì jiè běi jí xióng chú le hēi
冰雪世界，北极熊除了黑

sè de bí zi wài quán shēn shàng xià
色的鼻子外，全身上下

yě dōu shì bái sè de běi jí xióng zài
也都是白色的。北极熊在

bǔ shí shí bǎ bí zi wǔ zhù jiù kě
捕食时把鼻子捂住，就可

30

以将自己隐藏在白色环境中；另外，捂住鼻子还能掩盖自己的气味和呼吸声，避免被猎物发现。有时候，北极熊为了捕捉海豹，会趴在冰面上，在海豹打的呼吸洞旁用熊掌捂住鼻子，静静等待海豹从洞里爬出来。多么聪明的北极熊啊！

北极熊一生不喝水，从食物中就能获取身体所需的所有水分

大家都认为，北极熊披着一身雪白的毛。而美国科学家通过扫描电子显微镜发现，北极熊的毛并不是白色的，而是无色透明的中空小管子，由于光线的折射、散射，它看起来才是白色的。这些小管子非常重要，是北极熊收集热量的天然工具，这样的构造可以把阳光反射到皮肤上，有助于吸收更多的热量。

狐狸真的很狡猾吗
hú li zhēn de hěn jiǎo huá ma

红狐是狐的一种，身材如小狗般，长着橘红色的皮毛

狐狸与狡猾并不具有天然的联系，人们之所以会认为狐狸很狡猾，是因为在古代的民间故事中，狐狸常常以狡猾、妖魅、贪婪等负面形象出现。久而久之，狐狸也就成了狡猾的代名词。

当然，狐狸未必就是"清白"的。在自然界

你问我答

北极狐为什么常常尾随在北极熊后?

A. 想"狐假熊威",显威风

B. 想获得被北极熊弃之不食的肉

shí ròu dòng wù zhōng　xiāng duì　yú lǎo hǔ
食肉动物中,相对于老虎、

shī zi　láng　bào děng xiōng měng de dòng wù
狮子、狼、豹等凶猛的动物,

hú li suàn shì bǐ jiào ruò xiǎo de　yī zhǒng
狐狸算是比较弱小的一种。

wèi le shēng cún xià lái　tā men xiǎo xīn jǐn
为了生存下来,它们小心谨

shèn　yī kào zhì lì hé cè lüè lái dá dào
慎,依靠智力和策略来达到

duǒ bì　dí rén hé bǔ zhuō liè wù de mù dì　lì rú　yǒu shí liǎng zhī hú
躲避敌人和捕捉猎物的目的。例如,有时两只狐

li kàn qǐ lái xiàng zài dǎ jià　qí shí
狸看起来像在打架,其实

tā men shì yǐ zhè zhǒng fāng shì lái xī
它们是以这种方式来吸

yǐn zhōu wéi yě tù de zhù yì　dāng yě
引周围野兔的注意,当野

tù kàn rù mí hòu　hú li jiù huì chèn jī
兔看入迷后,狐狸就会趁机

pū xiàng tā men　cóng ér měi cān yī dùn
扑向它们,从而美餐一顿。

狐狸主要吃鼠,偶尔才袭击家禽,是一种益多害少的动物

　　狐狸的巢穴通常是强行从兔子等弱小的动物那里抢来的,有许多入口,越里面越迂回曲折。一般情况下,狐狸不怕猎犬,它速度快,小巧灵活,一只猎犬根本逮不着它。冬季河面上结薄冰,它甚至懂得设计诱猎犬落水。

wèi shén me māo jīng cháng huì fā chū
为什么猫经常会发出
gū lū gū lū de shēng yīn
咕噜咕噜的声音

猫是全世界家庭中较为广泛的宠物

yǎng guo māo de rén dōu zhī dào　zhè
养过猫的人都知道，这

ge tiáo pí de xiǎo jiā huo xǐ huan fā chū gū
个调皮的小家伙喜欢发出咕

lū gū lū de shēng yīn　jiù xiàng shì dǎ hū lu
噜咕噜的声音，就像是打呼噜

yī yàng　shí jì shàng　nà shì yóu yú māo de
一样。实际上，那是由于猫的

jiǎ shēng dài zài zhèn dòng ér fā chū de shēng yīn　yuán lái　māo de hóu lóng
假声带在震动而发出的声音。原来，猫的喉咙

lǐ yǒu yī duì lèi sì shēng dài de tè shū jié gòu　rú guǒ qì liú jīng guò
里有一对类似声带的特殊结构，如果气流经过

shí bèi zǔ zhì de huà　jiù huì fā chū gū lū gū lū de shēng yīn lái
时被阻滞的话，就会发出咕噜咕噜的声音来。

　　猫很爱干净，甚至有点洁癖。它经常舔身子，清理自己的毛。吃完东西后，它会用前爪擦擦胡子，被人抱后会用舌头舔舔毛。这些都是猫的本能，目的是去除自己身上的异味，躲避捕食者的追踪。猫的舌头上有许多粗糙的小突起，这是去除脏物最合适不过的工具。

你问我答

猫走起路来为什么没有声音？

A.猫的身体轻

B.脚掌长着厚厚的肉垫

C.猫会轻功

rén men yán jiū fā xiàn　māo zài píng
人们研究发现，猫在平
shí wán shuǎ　jīng shen jǐn zhāng hé zhēn zhèng
时玩耍、精神紧张和真正
shuì zháo shí shì bù huì dǎ hū lu de　zhǐ
睡着时是不会打呼噜的，只
yǒu dāng tā men gǎn dào mǎn zú　shū shì
有当它们感到满足、舒适、
yú yuè de shí hou　bǐ rú zài hé zhǔ rén
愉悦的时候，比如在和主人

qīn nì shí　cái huì fā chū qīng kuài de　gū lū shēng　zài zhè yī diǎn shang
亲昵时，才会发出轻快的咕噜声。在这一点上，
chéng nián māo jiào wéi tū chū　ér xiǎo māo yī bān hěn shǎo dǎ hū lu
成年猫较为突出，而小猫一般很少打呼噜。

猫吃老鼠是想获得老鼠体内的牛磺酸，这种物质能提高猫的夜间视觉能力

wèi shén me dòu niú chǎng shang de gōng niú
为什么斗牛场 上的公牛
kàn dào hóng bù jiù huì fā nù
看到红布就会发怒

在西班牙，出色的斗牛士被视为民族英雄

shí jì shàng gōng niú tiān shēng jiù shì sè
实际上，公牛天生就是色

máng gēn běn bù huì fēn biàn sè cǎi céng jīng yǒu
盲，根本不会分辨色彩。曾经有

wèi dòng wù xué jiā ràng dòu niú shì fēn bié ná zhe
位动物学家让斗牛士分别拿着

hēi sè bái sè hé lù sè de bù dào gōng niú miàn
黑色、白色和绿色的布到公牛面

qián huàng dòng jié guǒ gōng niú dōu rú tóng jiàn dào hóng
前晃 动，结果公牛都如同见到红

奔牛节是哪个国家
的传统文化活动？
A.中国
B.英国
C.西班牙

布一样激动。

其实，公牛是对晃动的物体有反应，认为那是在向自己挑衅，布晃得越快，它就越激动。斗牛士选择红布，是因为红色能让现场观众变得兴奋，增强表演效果。斗牛士有时会穿红色衣服出场，同样是为了调动现场气氛。

3~11月是西班牙斗牛节。每当举行斗牛表演，斗牛场内都座无虚席

非洲有一种"睡牛"，每天至少要睡20个小时。它们只在喝水、进食时苏醒片刻，和猪的懒惰比起来简直是有过之而无不及。因为睡牛每天只是吃吃睡睡，从不运动，所以长得特别快。一头幼崽睡牛不用喂养很长时间，体重就能长到200多千克，为人们提供了富有营养的美味佳肴——牛肉。

梅花鹿都长着鹿角吗

梅花鹿生活在森林边缘和山地草原地区，因其背上有类似梅花的斑点而得名

梅花鹿不分雌雄，身上都遍布着鲜明的白色梅花斑点。但美丽的鹿角并不是每只梅花鹿都有的，只有雄鹿才有。雄鹿两岁时开始长角，每年增加一个分叉，五岁后停止分叉。

xióng lù de lù jiǎo bèi yī céng tiān
雄鹿的鹿角被一层天

é róng bān de lù róng wài pí bāo guǒ zhe
鹅绒般的鹿茸外皮包裹着，

dāng lù jiǎo zhǎng dào yī dìng chǐ cùn hòu gǔ
当鹿角长到一定尺寸后，骨

tou kāi shǐ biàn yìng lù róng jiù huì tuō luò
头开始变硬，鹿茸就会脱落。

lù róng diào guāng hòu lù chū piào liang de lù jiǎo xióng lù yǐ cǐ huò qǔ cí
鹿茸掉光后，露出漂亮的鹿角，雄鹿以此获取雌

lù de fāng xīn yào shi yǒu le jìng zhēng zhě xióng lù men hái huì yòng lù
鹿的芳心。要是有了竞争者，雄鹿们还会用鹿

鹿茸是梅花鹿未骨化的鹿角

jiǎo lái jué dòu yī fān měi nián dào le
角来决斗一番。每年到了1~4

yuè xióng lù de lù jiǎo huì tuō luò yī shì wèi
月，雄鹿的鹿角会脱落，一是为

le zài jiāo pèi shí bù shāng hài dào cí lù èr
了在交配时不伤害到雌鹿，二

shì wèi le bǎo cún néng liàng dào le xià tiān
是为了保存能量。到了夏天，

lù jiǎo yòu huì chóng xīn zhǎng chū lái
鹿角又会重新长出来。

大开眼界

　　梅花鹿的尾巴虽然既小又短，然而它却是重要的报警器。当有天敌接近鹿群时，最先发现敌人的梅花鹿就会马上竖起小尾巴，露出下面的亮点，告诉同伴们马上逃命。鹿群接到警报就会马上逃离。

wèi shén me cāng ying xǐ huan
为什么苍蝇喜欢
bǎ jiǎo cuō lái cuō qù
把脚搓来搓去

苍蝇的复眼包含4000个可独立成像的单眼，能看清几乎360度范围内的物体

cāng ying cuō jiǎo shì wèi le qīng chú jiǎo shang de
苍蝇搓脚是为了清除脚上的

zá wù yǐ biàn jiǎo shang de wèi jué qì guān néng zhèng
杂物，以便脚上的味觉器官能正

cháng gōng zuò pǐn cháng shí wù de wèi dào
常工作，品尝食物的味道。

cāng ying méi yǒu bí zi tā de wèi jué qì
苍蝇没有鼻子，它的味觉器

guān zhǎng zài jiǎo shang cāng ying zhǎo dào shí wù hòu
官长在脚上。苍蝇找到食物后，

zǒng shì xiān yòng jiǎo lái cháng cháng wèi dào rú guǒ shì
总是先用脚来尝尝味道，如果是

xǐ huan de shí wù jiù cóng zuǐ li tǔ chū xiāo huà yè bǎ shí wù biàn chéng
喜欢的食物，就从嘴里吐出消化液，把食物变成

　　苍蝇带有大量细菌，自己却不生病，这是因为苍蝇携带的细菌主要躲藏在其消化道里。这些有害的细菌在苍蝇消化道内仅能存活五六天。之后，一部分细菌死亡，另一部分细菌随粪便排出体外。此外，苍蝇体内还存在着一种抗细菌的"活性蛋白"，能杀死各种细菌。

 你问我答

苍蝇喜欢吸什么味道的东西？
A.带有苦味的
B.带有甜味的
C.带有臭味的

yè tǐ hòu xī rù kǒu zhōng　yīn wèi cāng
液体后吸入口中。因为苍

yíng jiàn dào rèn hé dōng xi dōu yào xiān yòng
蝇见到任何东西都要先用

jiǎo qù cháng yī cháng　jiǎo shang cháng cháng
脚去尝一尝，脚上常常

huì zhān shàng hěn duō zá wù　rú guǒ bù
会沾上很多杂物。如果不

jí shí qīng chú　bù dàn yǐng xiǎng tā de fēi xíng
及时清除，不但影响它的飞行

hé pá xíng　hái huì shǐ jiǎo shang de wèi
和爬行，还会使脚上的味

jué qì guān shī líng　suǒ yǐ　cāng ying
觉器官失灵。所以，苍蝇

jīng cháng bǎ jiǎo cuō gè bù tíng
经常把脚搓个不停。

葱头、大蒜等食物有强烈的辛辣和刺激性的气味，可驱逐苍蝇

41

为什么蟑螂的尸体大多是六脚朝天的

蟑螂临死前，腿脚失去力气，无法支撑背部的重量，所以会翻过来六脚朝天。

蟑螂喜欢富含淀粉或香甜的发酵食品，如面包、奶油等

蟑螂平常是靠六只脚来撑起整个身躯的。它的背部坚硬且比较重，可以用来保护自己；腹

你问我答

想要消灭家里的蟑螂,你应该怎样做?

A.在窗台放盆水

B. 及时清理堆积的旧报纸、旧书等

C.不要留积水

部脆弱又轻。临死之前,蟑螂的神经系统失去作用,脚逐渐失去力气,最后因为背重腹轻,便会翻过身来六脚朝天。背部着地后,它抓不着支点也支撑不起身体,很难再翻身,所以蟑螂死时大都六脚朝天。其实不只是蟑螂,大部分身体扁平的昆虫,死时都是这样翻过身体的。

虽然喷雾剂能一时杀灭蟑螂,但滥用喷雾剂会使蟑螂产生抗体,失去效用

不可思议

　　人们常说"打不死的蟑螂",其实并不是指蟑螂真的打不死,而是形容它的生命力十分顽强。蟑螂能在-12℃~60℃的环境中存活,就算把它放在冰箱里,也冻不死它。蟑螂几乎什么东西都吃,缺乏食物的时候,连头发、唾液、粪便、衣服、肥皂等都来者不拒。如果不吃任何东西,它至少也能活上20天。

wèi shén me zhī zhū tǔ chū lái de sī

为什么蜘蛛吐出来的丝

bù huì zhān zhù zì jǐ de jiǎo

不会粘住自己的脚

zhī zhū wǎng shì zhī zhū de shòu liè chǎng xiǎo kūn chóng yī dàn bù xiǎo
蜘蛛网是蜘蛛的狩猎场。小昆虫一旦不小

xīn zhuàng shàng le zhī zhū wǎng jiù huì bèi nián nián de
心撞上了蜘蛛网，就会被黏黏的

zhī zhū wǎng zhān zhù chéng wéi zhī zhū de měi
蜘蛛网粘住，成为蜘蛛的美

shí suī rán zhī zhū wǎng dài yǒu nián
食。虽然蜘蛛网带有黏

xìng dàn shì zhī zhū zì jǐ néng zài shàng
性，但是蜘蛛自己能在上

蜘蛛从食物中吸收的营
养，大部分用来制造丝

miàn lái qù zì rú
面来去自如。

yuán lái　　zhī zhū néng tǔ chū liǎng zhǒng
原来,蜘蛛能吐出两种

bù tóng de sī　　yī zhǒng dài yǒu nián xìng
不同的丝,一种带有黏性,

lìng yī zhǒng zé méi yǒu nián xìng　　zhī zhū
另一种则没有黏性。蜘蛛

zài wǎng shang huó dòng shí　　huì xuǎn zé zài méi yǒu nián xìng de sī shang pá
在网上活动时,会选择在没有黏性的丝上爬

xíng cóng ér bì miǎn bèi zì jǐ de wǎng zhān zhù
行,从而避免被自己的网粘住。

lìng wài　　rú guǒ tā bù xiǎo xīn
另外,如果它不小心

bèi zì jǐ de wǎng zhān zhù le hái huì
被自己的网粘住了,还会

mǎ shàng fēn mì chū yī zhǒng tè shū de
马上分泌出一种特殊的

yóu　　tú dào jiǎo shang cóng ér bǎi tuō
"油"涂到脚上,从而摆脱

sī de　　jiū chán
丝的"纠缠"。

蜘蛛丝的韧性非常好,强度比同样粗细的钢丝还大

世界上有一种有毒的蜘蛛,它身穿"黑衣",在与雄蜘蛛交配后,会立刻咬死雄蜘蛛,因此被称为"黑寡妇"。黑寡妇性情凶暴,极具攻击性,武器是藏于螯肢的毒腺,蜇咬人或动物时会喷射出毒液,破坏其神经系统。

为什么飞蛾喜欢扑火

人们常说"飞蛾扑火，自取灭亡"，是不是说飞蛾是因为想不开才去扑火寻死呢？当然不是。飞蛾之所以会扑火，是因为它错把灯火当成了月光。

蛾的适应能力非常强，除两极地区外，到处都有它们的身影

对于蛾来说，在大自然中晚上最亮的光源就是月亮。飞蛾具有趋光的习性，夜晚飞行要

yī kào yuè guāng lái zhǐ yǐn fāng xiàng dāng
依靠月光来指引方向。当

fēi é kàn dào dēng huǒ shí cháng huì
飞蛾看到灯火时，常会

wù yǐ wéi nà shì yuè guāng yú shì biàn
误以为那是月光，于是便

cháo zhè ge jiǎ yuè guāng fēi qù fēi é
朝这个假月光飞去。飞蛾

àn zhào běn néng yī kāi shǐ huì ràng zì
按照本能，一开始会让自

蛾多在晚上出来活动，蝴蝶一般在白天活动，这是判断蛾与蝴蝶最直接的方法

jǐ tóng guāng yuán bǎo chí gù dìng de jiǎo dù rào zhe dēng huǒ bù tíng dǎ zhuàn
己同光源保持固定的角度，绕着灯火不停打转。

你问我答

一般来说，蛾的寿命有多长？
A.不超过1年
B.1~2年
C.2~3年

zài zhè ge guò chéng zhōng fēi é de fēi xíng
在这个过程中，飞蛾的飞行

guǐ jì jiù hǎo xiàng wén xiāng de xíng zhuàng yī
轨迹就好像蚊香的形状一

yàng huì bù zì jué de jiē jìn dēng huǒ
样，会不自觉地接近灯火，

zuì hòu pū xiàng dēng huǒ
最后扑向灯火。

大开眼界

　　雌蛾身上有一种特殊的化学物质，即性外激素。通过性外激素的扩散传布，可以把雄蛾从遥远的地方招引来，进行交尾。据研究，一只雌性舞毒蛾只要分泌0.1微克的性外激素，就可以把100万只雄蛾招引过来。雄蛾的嗅觉器官非常发达，对雌性蛾所释放的性外激素感觉十分灵敏，这就是气味传情了。

为什么说蚂蚁是"大力士"

据科学家测定，一只小小的蚂蚁，竟然能举起超过自身体重 400 倍的东西，还能拖运超过自身体重 1700 倍的物体。这

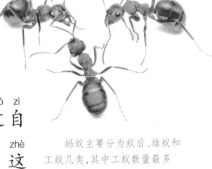

蚂蚁主要分为蚁后、雄蚁和工蚁几类，其中工蚁数量最多

样看来，把蚂蚁称为"大力士"，一点儿也不为过。

其实蚂蚁的神奇力量来自于它的腿。蚂蚁的腿部肌肉就像一部高效率的"发动机"，里面

hái hán yǒu yī zhǒng tè shū rán liào
还含有一种特殊"燃料"——

sān lín suān xiàn gān dāng mǎ yǐ zǒu dòng
三磷酸腺苷。当蚂蚁走动

de shí hou tā de tuǐ bù huì chǎn shēng
的时候，它的腿部会产生

yī zhǒng suān xìng wù zhì zhè zhǒng wù zhì
一种酸性物质，这种物质

你问我答

每一个蚁群中，有
多少只蚁后？
A.5只
B.3只
C.1只

néng yǐn qǐ rán liào fā shēng jù liè de biàn huà shǐ fā dòng jī chǎn
能引起"燃料"发生剧烈的变化，使"发动机"产

shēng jù dà de dòng lì zài zhè gǔ dòng lì de zhī chí xià mǎ yǐ biàn
生巨大的动力。在这股动力的支持下，蚂蚁便

kě yǐ jiāng bǐ tā zhòng hǎo duō bèi de dōng xi jǔ qǐ lái huò tuō zǒu le
可以将比它重好多倍的东西举起来或拖走了。

蚂蚁高高抬起腹部站立，表示发现了很多食物

　　蚂蚁发现食物后会立即赶回家通风报信，如果路上遇到同伴，便会用触角互相触碰一下。其实，蚂蚁触角之间的接触是在互相传递信息，但并不能进一步告诉对方详细的方向和地点。因此蚂蚁还会在路上留下气味，这样其他的蚂蚁就可以追寻它留下的气味找到食物。

<ruby>为<rt>wèi</rt></ruby><ruby>什<rt>shén</rt></ruby><ruby>么<rt>me</rt></ruby><ruby>蜗<rt>wō</rt></ruby><ruby>牛<rt>niú</rt></ruby><ruby>爬<rt>pá</rt></ruby><ruby>过<rt>guo</rt></ruby><ruby>的<rt>de</rt></ruby><ruby>地<rt>dì</rt></ruby><ruby>方<rt>fang</rt></ruby>
<ruby>会<rt>huì</rt></ruby><ruby>留<rt>liú</rt></ruby><ruby>下<rt>xià</rt></ruby><ruby>一<rt>yī</rt></ruby><ruby>条<rt>tiáo</rt></ruby><ruby>白<rt>bái</rt></ruby><ruby>色<rt>sè</rt></ruby><ruby>的<rt>de</rt></ruby><ruby>痕<rt>hén</rt></ruby><ruby>迹<rt>jì</rt></ruby>

在冬季和夏季的干燥期，蜗牛会把身体缩进壳内，再用黏液封住壳口，藏在里面休眠

<ruby>蜗<rt>wō</rt></ruby><ruby>牛<rt>niú</rt></ruby><ruby>属<rt>shǔ</rt></ruby><ruby>于<rt>yú</rt></ruby><ruby>腹<rt>fù</rt></ruby><ruby>足<rt>zú</rt></ruby><ruby>类<rt>lèi</rt></ruby><ruby>软<rt>ruǎn</rt></ruby><ruby>体<rt>tǐ</rt></ruby><ruby>动<rt>dòng</rt></ruby><ruby>物<rt>wù</rt></ruby>，<ruby>全<rt>quán</rt></ruby><ruby>身<rt>shēn</rt></ruby><ruby>没<rt>méi</rt></ruby><ruby>有<rt>yǒu</rt></ruby><ruby>骨<rt>gǔ</rt></ruby><ruby>骼<rt>gé</rt></ruby>，<ruby>体<rt>tǐ</rt></ruby><ruby>下<rt>xià</rt></ruby><ruby>长<rt>zhǎng</rt></ruby><ruby>着<rt>zhe</rt></ruby><ruby>一<rt>yī</rt></ruby><ruby>块<rt>kuài</rt></ruby><ruby>十<rt>shí</rt></ruby><ruby>分<rt>fēn</rt></ruby><ruby>有<rt>yǒu</rt></ruby><ruby>弹<rt>tán</rt></ruby><ruby>性<rt>xìng</rt></ruby><ruby>的<rt>de</rt></ruby><ruby>肌<rt>jī</rt></ruby><ruby>肉<rt>ròu</rt></ruby>，<ruby>称<rt>chēng</rt></ruby><ruby>为<rt>wéi</rt></ruby>"<ruby>腹<rt>fù</rt></ruby><ruby>足<rt>zú</rt></ruby>"。<ruby>蜗<rt>wō</rt></ruby><ruby>牛<rt>niú</rt></ruby><ruby>就<rt>jiù</rt></ruby><ruby>是<rt>shì</rt></ruby><ruby>靠<rt>kào</rt></ruby><ruby>不<rt>bù</rt></ruby><ruby>断<rt>duàn</rt></ruby><ruby>伸<rt>shēn</rt></ruby><ruby>缩<rt>suō</rt></ruby><ruby>腹<rt>fù</rt></ruby><ruby>足<rt>zú</rt></ruby><ruby>来<rt>lái</rt></ruby><ruby>移<rt>yí</rt></ruby><ruby>动<rt>dòng</rt></ruby><ruby>的<rt>de</rt></ruby>。

wō niú pá xíng shí　　fù zú shang
蜗牛爬行时，腹足上

de yī zhǒng jiào zú xiàn de xiàn tǐ
的一种叫足腺的腺体

huì fēn mì nián yè　　néng bì miǎn
会分泌黏液，能避免

fù zú jī ròu yǔ dì miàn zhí jiē mó
腹足肌肉与地面直接摩

cā ér shòu shāng　cóng ér　qǐ dào gé diàn
擦而受伤，从而起到隔垫

烙烤蜗牛是法国的一道名菜，这种蜗牛的个子比普通蜗牛要大得多，一个可达400克

zuò yòng　　yīn cǐ　　zài wō niú pá guo de dì fang huì liú xià nián yè de
作用。因此，在蜗牛爬过的地方会留下黏液的

你问我答

蜗牛的眼睛长在什
么地方？
　A.脑袋上
　B.大触角顶端
　C.壳上

hén jì　　zhè zhǒng nián yè de hén jì gān
痕迹。这种黏液的痕迹干

le yǐ hòu　　biàn huì xíng chéng yī tiáo fā
了以后，便会形成一条发

liàng de xiàn　　yě jiù shì wǒ men kàn
亮的线——也就是我们看

dào de bái sè hén jì le
到的白色痕迹了。

　　蜗牛是世界上牙齿最多的动物。在蜗牛的两个小触角下方有一个小洞，那就是它的嘴巴。虽然蜗牛的嘴巴只有针尖那么大，但里面有两万多颗牙齿。蜗牛的唾液如同浓度为 4%的硫酸溶液，完全可以对猎物的外壳进行酥软处理，接着就能轻易地在硬壳上打个洞，从而吸食里面的血肉。

51

为什么壁虎能攀檐走壁

以前，人们以为是壁虎脚趾上的吸盘产生的吸力，使它能附着在墙面上而不掉下来。但现代科学研究发现，壁虎是靠脚趾下的刚毛才有了攀檐走壁的能力。

壁虎脚趾下每平方毫米的表皮上长有约150万根刚毛，而每根刚毛的末端上又约有1000个更细小的分支。这种精细的结构使得刚毛与接触的物体表

据研究，壁虎的一根刚毛能够支撑一只蚂蚁的重量

壁虎的身体构造非常奇特。它很聪明，但是没有大脑。它的头部是中空的，两耳之间什么也没有。我们可以从壁虎的一只耳眼看进去，直接通过另一只耳眼看到外面。而且壁虎的眼睛是无法闭合的，如果要清洁眼球，只能依靠它那长长的舌头来舔了。

miàn fēn zǐ jiān de jù lí fēi cháng jìn cóng
面分子间的距离非常近,从

ér chǎn shēng jí dà de xī lì shǐ bì
而产生极大的吸力,使壁

hǔ néng gòu qīng sōng de fēi yán zǒu bì ér
虎能够轻松地飞檐走壁而

bù huì diào xià lái bì hǔ néng zài chuí
不会掉下来。壁虎能在垂

zhí fàng zhì de guāng huá bō li biǎo miàn yǐ
直放置的光滑玻璃表面以

měi miǎo mǐ de sù dù kuài sù xiàng shàng pān pá ér qiě
每秒1米的速度快速向上攀爬,而且

zhǐ kào yí gè jiǎo zhǐ jiù néng bǎ zhěng gè shēn
只靠一个脚趾就能把整个身

tǐ wěn dang de xuán guà zài qiáng shang
体稳当地悬挂在墙上。

壁虎捕食蚊、蝇等
昆虫,对人类有益

53

为什么青蛙能跳那么远
wèi shén me qīng wā néng tiào nà me yuǎn

在潮湿的天气里,青蛙可以用皮肤来呼吸

青蛙是名副其实的"跳远高手",它每一次跳跃,都能达到自己体长的20倍距离。遇到危险时,其惊人的弹跳力能帮助它迅速跳到水中,从而避开敌人的追捕。青蛙之所以能跳这么远,秘密就在于它那强健有力的后肢。

青蛙的腿部肌肉很发达,前肢比后肢短小,平时修长

蝌蚪慢慢长大,就能长成青蛙

每到下雨天,青蛙就会叫得特别响。尤其是在快要下雨的时候,青蛙的叫声此起彼落,一阵比一阵响,汇成大合唱。科学家指出,蛙类的合唱并非各自乱唱,而是有一定规律,有领唱、合唱、齐唱、伴唱等多种形式。而合唱比独唱优越得多,因为它包含的信息多,声音洪亮,传播的距离远。雄蛙求偶时采用合唱能吸引较多的雌蛙前来。

你问我答

为什么青蛙只吃活的虫子？

A.活虫子比较新鲜，口感好

B.它的眼睛只能看见运动的物体

de hòu zhī shì zhé dié qǐ lái de zài
的后肢是折叠起来的。在

tiào yuè zhī qián qīng wā de hòu zhī jī
跳跃之前，青蛙的后肢肌

ròu huì jǐn jǐn shōu suō jiù xiàng bèi yā
肉会紧紧收缩，就像被压

jǐn de tán huáng yī yàng xù yǒu lì liàng
紧的弹簧一样蓄有力量，

rán hòu zài yòng lì yī shēn tán tiào chū qù
然后再用力一伸弹跳出去，

dài dòng shēn tǐ zài kōng zhōng xiàng qián tiào yuè ér qián zhī zé xiàng
带动身体在空中向前跳跃。而前肢则像

jiǎn zhèn qì yī yàng néng jiǎn xiǎo tiào yuè hòu zhuó lù de
减震器一样，能减小跳跃后着陆的

chōng jī lì suǒ yǐ qīng wā tiào de yòu
冲击力。所以青蛙跳得又

gāo yòu yuǎn yòu wěn
高又远又稳。

树蛙的脚趾头有厚厚的吸盘，喜欢到处攀爬

55

wèi shén me shé néng tūn xià
为什么蛇能吞下
bǐ tā de tóu hái dà de dōng xi
比它的头还大的东西

shé néng tūn xià bǐ tā de tóu hái dà
蛇能吞下比它的头还大
de dōng xi mì mì zài yú tā de hé gǔ
的东西，秘密在于它的颌骨
hé xiōng bù rén de shàng xià hé gǔ lián
和胸部。人的上下颌骨连
zài yī qǐ bù guǎn zěn me yòng lì zuǐ ba
在一起，不管怎么用力，嘴巴
yě bù néng zhāng de hěn dà ér shé de shàng xià hé
也不能张得很大。而蛇的上下颌
gǔ zhī jiān yǒu néng huó dòng de fāng gǔ dāng tūn shí dà
骨之间有能活动的方骨，当吞食大
gè shí wù shí fāng gǔ huì zhí lì qǐ lái zuǐ jiù
个食物时，方骨会直立起来，嘴就

银环蛇是一种毒蛇，它夜晚活动，白天则隐匿于石下或洞中

大眼界

眼镜蛇毒液的毒性非常强。一旦毒液进入人的皮肤伤口，就会迅速散布到全身，如不及时治疗，会有生命危险。不过毒液要是从嘴里直接吞下去的话，那就不会立刻散布到全身，因为人的肝脏有解毒功能，能延缓毒性发作。如果眼镜蛇不小心咬到了自己的舌头，当毒液流进伤口后，它也会因为中毒全身麻痹而死去。

néng zhāng de hěn dà　　ér qiě　　shé de
能张得很大。而且，蛇的

zuǒ yòu hé gǔ yǐ rèn dài xiāng lián　zuǐ néng
左右颌骨以韧带相连，嘴能

xiàng zuǒ yòu kuò zhǎn　shǐ tā néng tūn xià bǐ
向左右扩展，使它能吞下比

zuǐ ba dà hěn duō de shí wù　　cǐ wài
嘴巴大很多的食物。此外，

你问我答

蛇爬行时，身体会
呈什么形状？
A.U型
B.W型
C.S型

shé de xiōng bù méi yǒu xiōng gǔ　liǎng cè de lèi gǔ néng zì yóu huó dòng　tūn
蛇的胸部没有胸骨，两侧的肋骨能自由活动，吞

xià de dà gè shí wù kě yǐ chàng tōng wú zǔ de jìn rù dù zi
下的大个食物可以畅通无阻地进入肚子。

蛇的舌头其实更像"鼻
子"，它不能品尝味道，却能嗅
到外界的气味

57

wèi shén me è yú bù shāng hài qiān niǎo
为什么鳄鱼不伤害千鸟

è yú shì shuǐ lù liǎng qī dòng wù　　shēng xìng cán bào　　jīng cháng bǔ
鳄鱼是水陆两栖动物，生性残暴，经常捕

shí shuǐ biān de dòng wù　qiān niǎo zé shì yī zhǒng ruò xiǎo de niǎo　dàn tā
食水边的动物。千鸟则是一种弱小的鸟，但它

气温较高时，鳄鱼会通过打哈欠的方
式来使空气流入口中，
帮助散热

cháng cháng zhàn zài è yú
常 常 站 在 鳄 鱼

de zuǐ ba shang　　bìng
的嘴巴上，并

bù dān xīn bèi è yú
不担心被鳄鱼

chī diào
吃掉。

58

yuán lái   qiān niǎo shì è yú de   kǒu qiāng qīng
原来，千鸟是鳄鱼的"口腔清

dào fū   néng qīng chú è yú yá fèng zhōng de
道夫"，能清除鳄鱼牙缝中的

ròu zhā   rú guǒ fā xiàn è yú kǒu qiāng
肉渣。如果发现鳄鱼口腔

lǐ yǒu jì shēng chóng   tā yě huì zuān jìn
里有寄生 虫，它也会钻进

qù chī diào   ér qiě   qiān niǎo gǎn jué
去吃掉。而且，千鸟感觉

líng mǐn   zhǐ yào zhōu wéi shāo yǒu dòng jìng
灵敏，只要周围稍有动静，

鳄鱼的四肢强壮有
力，一条长而有力的尾巴
是它捕猎的重要工具

jiù huì xùn sù fēi zǒu   bìng jī ji zhā zhā de jiào gè bù tíng   è
就会迅速飞走，并叽叽喳喳地叫个不停。鳄

yú yīn cǐ néng dé dào jǐng bào   jí
鱼因此能得到警报，及

shí qián rù shuǐ zhōng fáng bèi bìng zuò hǎo
时潜入水中防备并做好

jìn gōng zhǔn bèi   qiān niǎo rú cǐ zhòng
进攻准备。千鸟如此重

yào   è yú dāng rán shě bu de shāng
要，鳄鱼当然舍不得伤

hài tā le
害它了。

你问我答

鳄鱼为什么会流眼
泪呢？
　A.太伤心了
　B.太高兴了
　C.为了排出体内多
余的盐分

大开眼界

　　鳄鱼虽然长相凶残，在儿女面前却是位不折不扣的"慈母"。
当繁殖季节到来时，鳄鱼妈妈会爬上陆地，将自己产下的蛋埋在早
已挖好的沙坑里。在之后的几个月里，鳄鱼妈妈会不吃不喝地守
在蛋的旁边，悉心保护，直到鳄鱼宝宝孵化出世。

为什么鸟在树上睡觉却不会掉下来

wèi shén me niǎo zài shù shang shuì jiào
què bù huì diào xià lái

niǎo zài shù shang shuì jiào bù huì diào xià lái　　zhè yǔ niǎo de jiǎo zhǐ
鸟在树上睡觉不会掉下来，这与鸟的脚趾

jié gòu 　　yǐ jí xiǎo nǎo de fā dá chéng dù yǒu guān
结构，以及小脑的发达程度有关。

niǎo de jiǎo zhǐ gòu zào fēi cháng tè bié　　dāng niǎo tíng zài
鸟的脚趾构造非常特别。当鸟停在

shù zhī shang shí　　huì wān qū shuāng jiǎo
树枝上时，会弯曲双脚，

shǐ shēn tǐ de yā lì　　jí zhōng dào jiǎo
使身体的压力集中到脚

zhǐ shang　　jiǎo zhǐ shang de rèn dài hé jī ròu
趾上，脚趾上的韧带和肌肉

jiù huì bēng de jǐn jǐn de
就会绷得紧紧的，

鸟的身体呈纺锤形，
体外被羽毛覆盖，飞起来
可以减少空气的阻力

荷兰一个研究小组首次对大量鸟类进行观察，发现现在城市里鸟儿的嗓门越来越大。研究结果还显示：那些在繁华地段活动的鸟儿叫声比较大，这样做是为了让同伴能在喧闹中听见自己的声音。但是，一些鸟类也因为城市的噪声污染而濒临灭绝。

xiàng yī gè suǒ kòu yī bān kòu zài shù zhī
像一个锁扣一般扣在树枝

shang shí fēn láo gù
上,十分牢固。

lìng wài niǎo de xiǎo nǎo fā dá
另外,鸟的小脑发达,

ér xiǎo nǎo zhǔ guǎn yùn dòng shén jīng shǐ jī
而小脑主管运动神经,使肌

ròu wéi chí zài jǐn zhāng zhuàng tài cóng ér
肉维持在紧张状态,从而

zài shuì jiào shí yě néng bǎo chí shēn tǐ
在睡觉时也能保持身体

de píng héng suǒ yǐ niǎo kě yǐ zhàn zài shù shang
的平衡。所以鸟可以站在树上

shuì jiào ér bù yòng dān xīn huì diào xià lái
睡觉而不用担心会掉下来。

翠鸟通常栖息在水边,看见小鱼就迅速俯冲下去,是捕鱼能手

61

为什么鸵鸟常常把头贴着地面

鸵鸟的奔跑速度很快，对付敌人最好的办法就是逃跑

人们常见到鸵鸟头贴着地面，以为它是害怕，其实是人们误解了。鸵鸟有时为了觅食，会将头贴在地面上；有时遇到危险，它也会把头贴着地面，这并不是因

孵蛋的工作是由鸵鸟
先生来完成的

wèi tā hài pà dí rén huò xiǎng yǐn bì zì jǐ
为它害怕敌人或想隐蔽自己，

ér shì wèi le biàn bié shēng yīn de fāng wèi hé
而是为了辨别声音的方位和

yuǎn jìn　yǐ biàn xuǎn zé táo pǎo de fāng xiàng
远近，以便选择逃跑的方向。

tuó niǎo yě chēng fēi zhōu tuó niǎo　shì
鸵鸟也称非洲鸵鸟，是

mù qián shì jiè shang zuì dà hé zuì zhòng de niǎo
目前世界上最大和最重的鸟。

chéng nián xióng tuó niǎo shēn gāo kě dá　mǐ　tǐ zhòng yuē　qiān kè
成年雄鸵鸟身高可达2.7米，体重约160千克。

ér qiě tā liǎng tuǐ qí cháng　jiàn zhuàng yǒu lì　jí zǒu rú fēi　zuì kuài měi
而且它两腿颀长，健壮有力，疾走如飞，最快每

你问我答
一个鸵鸟蛋相当于
多少个鸡蛋的重量？
A.10个
B.20个
C.30个

xiǎo shí kě pǎo　qiān mǐ
小时可跑70千米，

jiù lián kuài mǎ yě zhuī
就连快马也追

bù shàng tā
不上它。

小鸵鸟要经过数次
换羽，到2岁左右才能
达到成鸟的羽色

在荒漠上，其他动物不敢轻易攻击鸵鸟。鸵鸟经常碰到的对手是狮子，如果逃脱不了狮子的追杀，它会奋起反抗，飞腿直踢狮子。鸵鸟的脚趾特别粗壮强健，具有很大的杀伤力，它能够把狮子踢伤，使狮子失去进攻能力，有时候甚至能把狮子活活踢死。

啄木鸟总是啄木，为什么不会得脑震荡

据动物学家研究发现，啄木鸟每秒啄木15~16次，速度可达555米/秒，是声音传播速度的1.6倍。而啄木鸟头部摆动的速度更快，达到580米/秒，比子弹出膛时的速度还快。可见它在啄木时，受到的冲击力

啄木鸟喜欢啄食天牛。天牛幼虫生活于木材中，对树木的危害很大

大开眼界

啄木鸟有一张又硬又尖的长嘴。给树木治病时，它会先用嘴敲击树干。因为敲击实心木和被蛀空的树木的声音不同，所以啄木鸟通过敲击树干时发出的"笃笃"声，就可以判断树木上是否有虫洞，并能准确找出害虫躲藏的位置。

你问我答

啄木鸟眼睛下方的
细毛有什么作用？

A.美观

B.防止木屑入眼

C.避免强光刺眼

shì fēi cháng dà de
是非常大的。

dàn shì zhuó mù niǎo bìng bù huì yīn
但是啄木鸟并不会因

wèi rú cǐ dà de chōng jī lì ér dé nǎo
为如此大的冲击力而得"脑

zhèn dàng   zhè shì yīn wèi tā de tóu lú
震荡"，这是因为它的头颅

lǐ yǒu hǎi mián zhuàng de gǔ gé   néng qǐ dào huǎn chōng jiǎn
里有海绵状的骨骼，能起到缓冲、减

zhèn de zuò yòng   lìng wài   tóu bù liǎng cè de jī ròu fā
震的作用。另外，头部两侧的肌肉发

dá   yě néng qǐ dào yī dìng de fáng zhèn zuò yòng
达，也能起到一定的防震作用。

啄木鸟每天能吃
掉约1500条害虫，被
称为"森林医生"

65

wèi shén me qǐ é
为什么企鹅
bèi chēng wéi nán jí shēn shì
被称为"南极绅士"

企鹅实行"一夫一妻"制，
彼此互相忠诚

nán jí shì dì qiú shang wéi yī méi yǒu rén
南极是地球上唯一没有人

lèi dìng jū de dà lù dàn nà lǐ shēng huó zhe
类定居的大陆，但那里生活着

xǔ duō kě ài de qǐ é qǐ é shēn tǐ féi
许多可爱的企鹅。企鹅身体肥

pàng liǎng tiáo xiǎo duǎn tuǐ méi yǒu hé dù zi lián
胖，两条小短腿没有和肚子连

zài yī qǐ ér shì zhí jiē zhǎng zài tún bù shang
在一起，而是直接长在臀部上。

zhè zhǒng tè shū de shēn tǐ jié gòu shǐ tā zài shuǐ
这种特殊的身体结构使它在水

你问我答

企鹅属于哪种类别的动物?
A.哺乳动物
B.两栖动物
C.鸟类

里能够轻松地游来游去,在陆地上却行动不便,走起路来总是摇摇晃晃的。而且,不管站立还是走路,企鹅都必须把身体挺得笔直,像绅士一般,因而它被称为"南极绅士"。

幸好企鹅待在陆地上的时间并不多,除了求偶和孵化小企鹅外,它们大部分时间都在水里度过。

帝企鹅是现存企鹅家族中个头最大的,一般身高在90厘米以上

当企鹅宝宝出世后,成年企鹅们就会出去觅食,只留下几只照顾所有的小企鹅。觅食回来的企鹅妈妈能根据自己孩子的独特声音,准确地找出自己的幼崽。如果用录音机录下小企鹅的声音,在别的地方播放,那么企鹅妈妈也会乖乖地向发出声音的地方走去。

wèi shén me yīng wǔ néng xué rén shuō huà
为什么鹦鹉能学人说话

鹦鹉喜欢吃干果，嘴巴又短又弯，特别有力，便于打开干果的硬壳

xiāng bǐ qí tā niǎo lèi　yīng wǔ de míng
相比其他鸟类，鹦鹉的鸣

guǎn hé shé tou zhè liǎng gè fā shēng qì guān de
管和舌头这两个发声器官的

gòu zào bǐ jiào tè shū　míng guǎn shì yīng wǔ
构造比较特殊。鸣管是鹦鹉

de fā shēng qì　fù yǒu bǐ jiào fā dá qiě yǔ
的发声器，附有比较发达且与

rén de shēng dài gòu zào xiāng jìn de míng jī　yīng
人的声带构造相近的鸣肌；鹦

wǔ de shé tou yě hěn fā dá　xíng zhuàng yǔ rén de
鹉的舌头也很发达，形状与人的

shé tou fēi cháng xiāng sì　zhè jiù shǐ de yīng wǔ jù
舌头非常相似，这就使得鹦鹉具

你问我答

野生鹦鹉大多生活在什么地方？
A.热带草原
B.温带丛林
C.热带雨林

备了与人类相似的发声条件，可以发出准确、清晰的音调。再加上鹦鹉的记忆力和模仿能力都比较强，只要人们稍加训练，鹦鹉就能学人说话和唱歌。

但是，说话是一种有意识的行为，而鹦鹉只会重复人们教给它的一连串音节，根本不明白这些语句的含义，因此无法与人交流。

八哥是我国独有的观赏鸟类之一，同样会学舌，会唱歌

大开眼界

除了鹦鹉，会学人说话的还有八哥、百灵鸟、鹩哥等。很多人以为最会巧嘴学舌的鸟是鹦鹉和八哥，实际上，它们都不如鹩哥。一只年轻的鹩哥只要一星期就能学会一句话。除了能模仿声音之外，鹩哥还会学调，口齿清楚，惟妙惟肖，称得上是鸟类中的"口技大师"了。

为什么丹顶鹤
常用一只脚站立

我们常常会看到丹顶鹤单腿站立着,它这样做既是为了保持体温,也是为了预防敌人袭击。

丹顶鹤身上长满了羽毛,羽毛能帮助它保持身体的温度。但是它的腿脚又细又长,而且不长毛,体内的热量很容易从腿脚散发掉。为

了减少热量的散失，丹顶
鹤在休息时往往用一只
脚站立，另一只脚则藏在羽
毛下面。这样两条腿相互
交换站立，既可以保持体温，
又可以避免疲劳，一举两得。

丹顶鹤发情期间，雌雄两只鹤载歌载舞，舞姿非常优美

另外，丹顶鹤一条腿站
立时，比两条腿站立看得远，
这样可以防备敌害的突然
袭击，及时逃走。

你问我答

丹顶鹤张开翅膀，
一般表示什么呢？
A.发出警告
B.心情愉快
C.心情不佳

大开眼界

丹顶鹤是世界珍稀动物。它全身羽毛洁白，喉、颊和颈处为暗褐色，因头顶上没有羽毛，露出红色皮肉，像一顶小红帽而得名。丹顶鹤的幼鸟是没有"丹顶"的，只有达到性成熟后，"丹顶"才会出现。自古以来，丹顶鹤头上的"丹顶"常常被认为是一种剧毒物质，称为"鹤顶红"或"丹毒"。这种说法是毫无根据的，"丹顶"根本没有毒性。

为什么大雁迁徙时会排成"人"字形或"一"字形

雁队一般由6只或6只的倍数组成

大雁飞行时，扇动的翅膀会产生一股微弱的上升气流。排成队列的大雁扇动翅膀，就可以依次利用这股气流减少空气阻力，因而飞得更快、更省力。雁群飞行时所排列的"人"字形和"一"字形，正是对这股气流的最大利用。飞在队列

大开眼界

每逢秋冬时节，大雁就成群结队地从西伯利亚一带飞到我国的南方过冬。到第二年春天，它们又经过长途旅行，回到西伯利亚产蛋繁殖。大雁的飞行速度非常快，每小时可以飞行68～90千米，几千千米的漫长旅途，它们会飞上一两个月。

你问我答

雁群中谁有资格来当领头雁呢?

A.体格最大者

B.经验丰富者

C.最年轻者

zuì qián miàn de lǐng tóu yàn shòu dào de zǔ
最前面的领头雁受到的阻

lì jiào dà hěn róng yì pí láo suǒ yǐ
力较大,很容易疲劳,所以

zài cháng tú qiān xǐ de guò chéng zhōng yàn
在长途迁徙的过程中,雁

qún yī huìr pái chéng rén zì xíng
群一会儿排成"人"字形,

yī huìr pái chéng yī zì xíng lún liú dān rèn lǐng tóu yàn zhè yàng dà
一会儿排成"一"字形,轮流担任领头雁,这样大

jiā dōu bù huì tài lèi
家都不会太累。

bù jǐn shì dà yàn dà duō shù hòu
不仅是大雁,大多数候

niǎo zài qiān xǐ shí dōu huì pái chéng rén zì
鸟在迁徙时都会排成"人"字

xíng huò yī zì xíng
形或"一"字形。

雁群在迁徙中会选择湖泊
等较大的水域休息,寻觅鱼、虾
和水草等食物

73

为什么鱼会长鳞片

绝大多数的鱼除了头和鳍外,全身都长满了闪闪发亮的鳞片。这些鳞片对鱼来说,具有很多重要的作用。

首先,鱼的身体很娇嫩,容易受伤,鳞片就像盔甲一样,可以帮助鱼抵抗疾病,免遭水中微生物的侵害。对大多数

金鱼起源于中国,是世界观赏鱼史上最早的品种

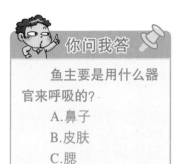

你问我答

鱼主要是用什么器官来呼吸的?

A.鼻子
B.皮肤
C.腮

鱼来说,鱼鳞相当于外露的骨骼,有助于维持体形。其次,鱼鳞还有伪装作用:鱼腹部的鳞能反射和折射光线,如果水下有凶猛的鱼游过,当它往上看时,很难把鱼体和水的闪光分辨开来,从而起到保护作用。再次,鱼鳞还能使鱼体减少与水的摩擦,减小阻力,使它们在水中游得更快。

鱼用鳃呼吸,只适应从水里吸收氧气,故离不开水

知识放送

　　鱼的皮肤中有不少特殊的黏液腺,能分泌出大量的黏液。这些黏液可防止霉菌的侵袭,阻挡水中有害物质从皮肤进入体内。有了黏液层,鱼的皮肤就可以不透水,这对维持鱼体内渗透压的恒定有好处。尤其是一些在江河中洄游的鱼类,身上有了黏液就能帮助它们适应水中盐度的变化。

为什么热带鱼
的颜色特别鲜艳

珊瑚看起来像植物,其实它是动物。
珊瑚死去后,在其尸骸上长出新的珊瑚,
不断循环下去,便会形成珊瑚礁

我们平常所见的鱼,颜色通常比较单调,可热带鱼的颜色却非常鲜艳。原来,热带鱼出生于热带或亚热带的海洋中,它们鲜艳的颜色是适应环境、保护自己的重要手段。

在南美洲的亚马孙河里,生活着一种水虎鱼。水虎鱼的口中长着两排像锯齿一样锋利的牙齿,能把钢制的钓钩一口咬断。水虎鱼过着群居生活,通常几百条或几千条聚集在一起。当它们猎食时,总是最先咬住猎物的致命部位,使其失去逃生能力,然后成群结队地轮番发起攻击,迅速将猎物分吃掉。

你问我答

小丑鱼喜欢和哪一种动物生活在一起？

A.珊瑚

B.海星

C.海葵

热带海洋中有许多鲜艳的珊瑚礁，这些珊瑚礁就是热带鱼的"保护伞"。热带鱼"披"上鲜艳的"外套"后，一旦遇到敌人，就能立刻躲到珊瑚礁里隐藏起来。这样，它们就能安全地躲过敌人的追捕，而不被敌人发现了。

热带鱼养在鱼缸里，时间长了会出现褪色的情况

77

为什么蓝鲸要定期"喷潮"

蓝鲸是地球上现有的最大的动物，一般体长为30米左右，体重可达上百吨，比已经灭绝的恐龙还要大。蓝鲸虽然生活在海洋中，但它是哺乳动物，必须用肺来呼吸氧气，所以每隔10~15分钟就要露出水面呼吸

小鲸刚出生时，鲸妈妈每隔一段时间就把它托出水面，让小鲸学会呼吸

yī cì dāng tā jiāng tǐ nèi de
一次。当它将体内的

èr yǎng huà tàn děng fèi qì pái
二氧化碳等废气排

chū shí zhè gǔ qiáng yǒu lì
出时，这股强有力

de rè qì jiù huì chōng chū bí
的热气就会冲出鼻

kǒng pēn shè de gāo dù kě dá mǐ
孔，喷射的高度可达10米

鲸跳出水面，通常是为了
甩掉皮肤上的寄生虫

zuǒ yòu ér rè qì hái huì bǎ zhōu wéi de hǎi shuǐ yī tóng juǎn qǐ xíng
左右。而热气还会把周围的海水一同卷起，形

chéng yī gǔ zhuàng guān de shuǐ zhù jiù xiàng yī yǎn hǎi shang pēn quán rén
成一股壮观的水柱，就像一眼海上喷泉，人

men chēng zhī wéi pēn cháo lán jīng
们称之为"喷潮"。蓝鲸

zài pēn chū qì liú de tóng shí hái huì
在喷出气流的同时，还会

fā chū jù dà de xiàng míng dí yī yàng de
发出巨大的像鸣笛一样的

shēng yīn
声音。

你问我答

蓝鲸的寿命一般有

多少年？

A.约20年

B.50年以上

C.100年以上

　　别看蓝鲸身躯庞大，它的喉咙却非常狭窄，只能吞下体宽
在5厘米以下的小鱼虾。蓝鲸以磷虾为主食，在捕食磷虾时
会采取集体圈捕的方式来提高效率。它们围成一个圈，用呼出
的气泡把磷虾赶进这个圈子，当很多的磷虾密集在一起时，蓝鲸就
张开大嘴饱餐一顿。一头蓝鲸每天要消耗2～4吨的磷虾。

为什么海龟要上岸产卵

海龟上岸产卵，主要是有两个原因：一是海龟虽然生活在海里，但是它没有腮，需要经常浮出水面呼吸。如果海龟把卵产在海里，刚孵出来的小海龟还没学会如何呼吸，就会被淹死。

二是因为卵的孵化需要热量，而海里的温度较低，不适合孵化。所以，海龟会把卵产在沙滩上，利用沙子吸收的热量来孵化小海龟。

海龟的前肢像桨一样，很适合在水中活动，是游泳的好手

　　尼日尔有一种会散发香味的龟。这种龟的头上长有一个香腺，脖子上有许多细长的香腺管同体内的细胞相连。每天，龟的身体内能散发出30毫克左右的香素，香味很浓，能杀死霉菌，防止食物腐烂，而且没有毒性。因此，在炎热的夏季，当地人常把这种龟放进食品柜里，充当防腐剂。

海龟靠什么方法来让自己"回家"？

A.气味

B.海水温度

C.地球磁场

měi nián liù qī yuè jiān jiù huì
每年六七月间，就会

yǒu chéng qún de cí hǎi guī chèn zhe hēi
有成群的雌海龟趁着黑

yè pá shàng shā tān zhǎo xún hé shì de
夜爬上沙滩，找寻合适的

chǎn luǎn dì diǎn tā men xiān yòng hòu zhī
产卵地点。它们先用后肢

zài shā tān shang wā chū yī gè gēn zì jǐ chà bu duō gāo de kēng hòu
在沙滩上挖出一个跟自己差不多高的坑后，

biàn kāi shǐ chǎn luǎn chǎn wán luǎn hòu yòu
便开始产卵，产完卵后又

yòng shā zi tián kēng hǎi guī yī cì
用沙子填坑。海龟一次

néng chǎn luǎn duō méi měi gè luǎn
能产卵100多枚，每个卵

yuē yǒu pīng pāng qiú dà xiǎo
约有乒乓球大小。

小海龟出世后，会爬向大海，
游回海龟妈妈的故乡

wèi shén me páng xiè zǒng ài tǔ pào pao
为什么螃蟹总爱吐泡泡

寄居蟹常常吃掉贝类等软体动物，把它们的壳占为己有

páng xiè hé yú yī yàng yě yòng
螃蟹和鱼一样也用

sāi hū xī dàn tā hé yú bù tóng
鳃呼吸，但它和鱼不同，

tā tǐ nèi de sāi xiàng hǎi mián yī yàng
它体内的鳃像海绵一样

néng xī jìn hěn duō shuǐ suǒ yǐ tā lí
能吸进很多水，所以它离

kāi shuǐ hòu yě bù huì gān sǐ
开水后也不会干死。

yuán lái páng xiè hū xī shí huì xī jìn hěn duō shuǐ cóng shuǐ zhōng
原来，螃蟹呼吸时会吸进很多水，从水中

huò qǔ yǎng qì dāng tā shàng àn mì shí shí sāi li réng cán cún xǔ duō
获取氧气。当它上岸觅食时，腮里仍残存许多

shuǐ fèn suǒ yǐ hái kě yǐ bù tíng de hū xī xī rù de kōng qì hé
水分，所以还可以不停地呼吸。吸入的空气和

sāi li de shuǐ fèn hùn hé zài yī qǐ pēn chū lái jiù xíng chéng le pào mò
鳃里的水分混合在一起，喷出来就形成了泡沫。

　　由于螃蟹的身体比较特别，它的4对步足的关节只能向下弯曲，因此它走路的时候不能朝前后方向，而只能朝左右方向。它爬行时，先用一边的脚抓地，然后用另一边的脚伸直往一侧退，一对粗壮的钳螯似乎又摆起了"拳击"的架势，螃蟹便有了"横行霸道"的恶名。

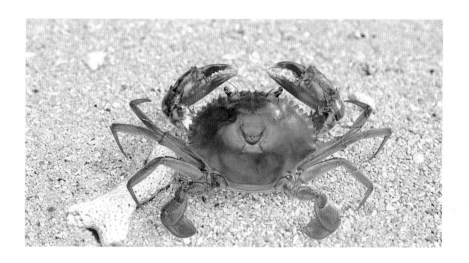

你问我答

螃蟹属于什么动物?

A.鱼类

B.两栖动物

C.甲壳动物

rú guǒ zài lù dì shang de shí jiān jiǔ le
如果在陆地上的时间久了,

páng xiè sāi li de shuǐ fèn zhú jiàn jiǎn shǎo
螃蟹鳃里的水分逐渐减少,

hū xī huì biàn de yuè lái yuè kùn nan
呼吸会变得越来越困难。

rú guǒ nǐ mǎi huí lái de páng xiè
如果你买回来的螃蟹

yǐ jīng kǒu tǔ bái mò   qiān wàn bù néng jiāng qí fàng rù shuǐ zhōng   zhè
已经"口吐白沫",千万不能将其放入水中,这

zhǒng bèi dòng shì de bǔ shuǐ fāng shì huì ràng
种被动式的补水方式会让

páng xiè shòu shāng   zuì hǎo shì jiāng tā
螃蟹受伤。最好是将它

bǎng hǎo fàng rù bīng xiāng   shǐ qí jìn
绑好放入冰箱,使其进

rù xiū mián zhuàng tài
入休眠状态。

大闸蟹味道鲜美,营养丰富,
以苏州阳澄湖大闸蟹最为有名

83

wèi shén me shā yú zǒng shì yóu gè bù tíng
为什么鲨鱼总是游个不停

shā yú de sāi bù xiàng bié de yú nà yàng néng jiāng shuǐ xī jìn qù
鲨鱼的鳃不像别的鱼那样能将水吸进去，

ér shì yào tōng guò shēn tǐ bù duàn de yóu dòng cái néng ràng shuǐ tōng guò zuǐ
而是要通过身体不断地游动，才能让水通过嘴

ba liú dào sāi li cóng ér huò dé zú gòu de
巴流到鳃里，从而获得足够的

yǎng qì
氧气。

lìng wài yī bān yú de tǐ nèi
另外，一般鱼的体内

dōu yǒu yī gè chōng mǎn qì tǐ de yú
都有一个充满气体的鱼

biào tā néng bāng zhù yú lèi zài shuǐ li
鳔，它能帮助鱼类在水里

鱼翅是鲨鱼的鳍经干制而成，鲨鱼失去鳍后便会死去。为了保护鲨鱼,我们应拒绝食用鱼翅

你问我答

哪种动物是世界上
最大的鱼？

A.鲸鱼

B.鲸鲨

C.海豚

上浮、下沉或者静止。鲨鱼虽然也是鱼类，但它没有鳔。它在水里的上浮或下沉都得靠游动，一旦停止游动，它就会沉入海底，慢慢因窒息而死亡。

当然，鲨鱼也是需要休息的。在休息时，它会处在一种不活跃的状态，它的左右大脑交替休息，所以即使在睡觉的时候，也同样可以游来游去。

那一排排密密麻麻锋利的尖牙,是鲨鱼最厉害的武器

不可思议

　　鱼类怕鲨鱼，鲨鱼却怕海豚。原来，海豚有球状的前额骨，非常坚硬，加之海豚的尾部非常有力，如果全力撞向鲨鱼会产生巨大的冲击力。而且鲨鱼一般是单独活动，海豚是集体活动。成群的海豚联合起来围攻鲨鱼，轮番用有力的鼻子、尾巴，撞击鲨鱼的身体，很容易就能把鲨鱼杀死。

wèi shén me bèi ké li huì yǒu zhēn zhū
为什么贝壳里会有珍珠

贝类动物有着坚硬的外壳，壳内却是柔软的肉。当它们把壳张开时，水中的寄生虫或沙子就会趁机钻进去。这些闯进来的异物会使贝类动物非常难受。为了保护自己，它们便分泌出一种"珍珠质"，将寄生虫或沙粒一层层包裹起来。久而久之，珍珠质越积越多，最后便形成了一颗颗圆圆的、亮晶晶的珍珠。

珍珠是唯一不需要加工就天然生成并带有神奇生命力的珍宝，深受人们喜爱

大开眼界

绝大部分海贝都不会游泳，它们平时攀附在海里的岩石、珊瑚礁上，或是将身体埋入沙中。如果要去别的地方，海贝自有办法：要么随波逐流，要么依附在海龟、海蟹的身上或者贴在船底。但是无论用哪一种方法，海贝都无法控制自己的去向。

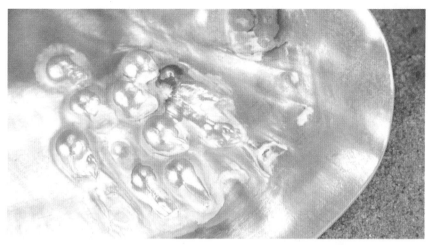

yóu yú zhēn zhū zhì bù yī dìng néng
由于珍珠质不一定能
jūn yún de bāo guǒ zài yì wù zhōu wéi suǒ
均匀地包裹在异物周围,所
yǐ xíng chéng de zhēn zhū hěn kě néng bù shì
以形成的珍珠很可能不是
zhèng yuán xíng de ér qiě bèi lèi fēn
正圆形的。而且,贝类分

mì chū de zhēn zhū zhì shì yǒu xiàn de qīn rù de yì wù yuè duō zhēn zhū
泌出的珍珠质是有限的,侵入的异物越多,珍珠
yuè duō zhì liàng yě jiù yuè chà yīn cǐ
越多,质量也就越差。因此
bìng bù shì bèi lèi de gè tou yuè dà
并不是贝类的个头越大,
jiù néng yùn yù chū yuè dà de zhēn zhū
就能孕育出越大的珍珠。

在古代,人们曾用
贝壳来作为货币

87

为什么虾煮熟后会变红

wèi shén me xiā zhǔ shú hòu huì biàn hóng

生活中我们常常可以发现，一些青黑色的虾，煮熟后身体表面会变成红色。

原来，在虾的体内含有一种颜色鲜红的色素，叫作"虾青素"。虾青素平时与不同的蛋白质结合而形成不同的颜色，自己

龙虾是珍贵的海产品，主要分布于热带海域

xiān hóng de běn sè wú fǎ xiǎn shì chū
鲜红的本色无法显示出

lái dāng xiā bèi jiā rè shí xiā
来。当虾被加热时，虾

qīng sù yǔ dàn bái zhì jiù huì bèi
青素与蛋白质就会被

rè lì fēn kāi dàn bái zhì bèi
热力分开，蛋白质被

fēn jiě shèng xià de xiā qīng sù jiù
分解，剩下的虾青素就

shǐ de xiā chéng xiàn chū hóng sè lái
使得虾呈现出红色来。

虾米是著名的海味品，
具有很高的营养价值

shí jì shàng bù guāng xiā shì zhè
实际上，不光虾是这

yàng xiàng páng xiè děng jiǎ qiào lèi shēng wù
样，像螃蟹等甲壳类生物

tǐ nèi dōu hán yǒu xiā qīng sù yě dōu jù
体内都含有虾青素，也都具

yǒu yù rè biàn hóng de tè xìng
有遇热变红的特性。

你问我答

虾含有的什么营养
物质比较丰富？
A.钙
B.纤维素
C.铁

你问我答答案

P3:C	P5:A	P7:B	P9:C	P11:C	P13:C	P15:B	P17:A
P19:B	P21:B	P23:B	P25:A	P27:A	P29:B	P31:C	P33:B
P35:B	P37:C	P39:A	P41:B	P43:BC	P45:B	P47:A	P49:C
P51:B	P53:C	P55:B	P57:C	P59:C	P61:B	P63:C	P65:B
P67:C	P69:C	P71:B	P73:B	P75:C	P77:C	P79:B	P81:C
P83:C	P85:B	P87:C	P89:A				

图书在版编目（CIP）数据

十万个为什么.动物世界／风车文化编.—广州：
新世纪出版社，2014.6（2016.9重印）
（小学语文新课标阅读丛书）
ISBN 978-7-5405-8540-2

I.①十… II.①风… III.①科学知识－少儿读物
②动物－少儿读物 IV.①Z228.1 ②Q95-49

中国版本图书馆CIP数据核字（2014）第083289号

出版人：孙泽军
责任编辑：翟晓侃 林桥基
责任技编：王建慧
编：风车文化
图：微图公司等

十万个为什么
SHIWAN GE WEISHENME

动物世界
DONGWU SHIJIE

出版发行：新世纪出版社
（广州市越秀区大沙头四马路10号）
印　　刷：深圳市福圣印刷有限公司
（深圳市宝安区龙华街道三联社区
龙苑大道联华工业园）
经　　销：全国各地新华书店
服务热线：020-38312206

开　　本：880×1230　1/32
印　　张：3
版　　次：2014年6月第1版
印　　次：2016年9月第3次印刷
字　　数：73千
定　　价：11.50元
幼狮网址：yosbook.com